KB178153

아들아 세상을
이렇게 살아라

아들아 세상을 이렇게 살아라

발행 2024년 01월 20일
저자 임오혁
펴낸이 한건희
펴낸곳 주식회사 부크크
출판사등록 2014. 07. 15(제2014-16호)
주소 서울특별시 금천구 가산디지털1로 119 A동 305호
전화 1670-8316
E-mail info@bookk.co.kr
ISBN 979-11-410-6721-2

www.bookk.co.kr

아들아 세상을 이렇게 살아라

임오혁 지음

BOOKK

저자
임오혁

경희대학교 음악대학 학사

뉴욕 메네스 음악대학 석사

뉴욕 메네스 음악대학 전문 연주자 과정 수료

수상 경력:

KCA 한국전파진흥원콘텐츠 Contest 라디오부분 대상 수상 (2017)

과학기술정보통신부장관상 수상

KCA 한국전파진흥원콘텐츠 Contest 라디오부분 대상 우수상 수상 (2016)

전파진흥원장상 수상

KCA 한국전파진흥원콘텐츠 Contest 라디오부분 대상 장려상 수상 (2015)

전파진흥원장상 수상

Korea Broadcasting Seoul 1Prize winner (KBS, 2013) - KBS 사장상

Korea Broadcasting Seoul 3Prize winner (KBS, 2012) - KBS 부사장상

Korea Broadcasting Seoul 2Prize winner (KBS, 2011) - KBS 부사장상

활동 경력:

New York City Council New Year event project (2012)

UN 20주년 KBS 열린 음악회 뉴욕 공연 공동 기획 참여(2011)

뉴욕 브로드웨이 팝페라 레인 제작 및 기획(2006)

외 50여편 다수 공연 기획

NY Broadway Musical Popera Rain 총괄 제작 및 기획 UN

뉴욕시 신년 행사 공동 기획

소프라노 조수미 뉴욕 할렘 공연

뉴욕 국제 음악 콩쿨 제작 기획 외 50여편 공연 기획

저서:

소프라노 아리아 완성 - 삼호출판

CONTENT

프롤로그 / 10

제 1장 학교 생활 / 13

1) 공부는 왜 할까?

2) 학교도 작은 사회

3) 할 것과 안 할 것

4) 당당하게

5) 궁금하면 물어봐

제 2장 가정 생활 / 25

1) 가족이란

2) 내방

3) 집사랑

4) 정리정돈

제3장 사회 생활 / 37

1) 인간 관계법

2) 인정 받기

3) 할말 못할 말

4) 눈치

5) 보고 싶은 사람이 되자

6) 잘난 척 하는 사람은 피해라

7) 설득의 기술

제4장 연애와 결혼 / 53

1) 겉보다 속

2) 100년 친구를 찾아라

3) 너보다 나

4) 사계절은 만나라

5) 정신적 사랑이 진짜 사랑

6) 배려심 과 이해심

7) 자기애가 강한 사람은 피해라

제5장 직업 / 69

1) 돈보다 좋아하는 일을 찾아라

2) 전문가

3) 봉사 하는 마음으로

4) 밸런스

5) 평생 직업

제6장 감정 표현 / 81

1) 한번 더 생각하기

2) 급 발진 노!

3) 3D로 이해하기

4) 단점보단 장점

5) 나의 부족함을 늘 생각하기

6) 지적 금지

7) 조리 있는 말

8) 모든 바탕은 사랑

제7장 인생관 / 99

1) 어떤 어른으로 살아갈까?

2) 내 인생의 중요한 가치 만들기

3) 준비된 사람만이 기회가 온다

4) 인생은 고속 도로와 같아

5) 낭비하는 인생

제8장 생활 태도 / 111

1) 약속은 꼭 지키는 것

2) 깔끔

3) 건강 생활

4) 매력적인 사람이 되어라

5) 계획이 있는 삶

제9장 금전 관리 / 123

1) 없으면 없는 대로 있으면 있는 대로.

2) 1센트도 정확하게

3) 아낄 때와 쓸 때

4) 남의 돈도 내 돈처럼

5) 경제 관념

제10장 대화법 / 135

1) 들어주기

2) 요점만 간단히

3) 위트 있게

4) 좋은 단어 사용하기

5) 잘난 척은 금물

6) 말싸움은 백해무익

7) 말 많은 사람은 피해라

제11장 마지막 당부 / 149

1) 인생은 짧다.

2) 너를 믿는다.

프롤로그

아이들을 키우며, 내가 죽은 뒤에 아이들에게 무엇을 남겨줄지 고민하게 되었다. 재산을 물려주는 것이 큰 의미가 있을까? 그보다는 내가 살면서 느낀 인생의 깨달음을 책을 통해 남겨 주는 것이 더 큰 유산이 아닐까? 미국에서 이민생활을 통해 얻은 교훈, 남자로서의 삶, 남편으로서의 경험, 아빠로서 느낀 감정들 중 도움이 될 만한 내용을 정리했다. 이 책은 나의 마음과 삶의 지침을 담은 아이들에게 전하고자 하는 작은 선물이다. 아이들이 이 책을 읽으며, 아빠의 마음을 느끼고 또 아빠를 기억해줄 수 있기를 바라며, 아이들에게 의미 있는 길잡이가 되길 희망한다.

제 1장

학교 생활

1) 공부는 왜 할까?

왜 공부를 해야 할까? 이 질문에 대해 정말로 심각하게 고민해봐야 해. 좋은 대학에 가고, 좋은 직장을 얻고, 풍요로운 삶을 살기 위해서뿐만 아니라, 너 자신이 꿈꾸는 것들을 이루기 위한 노력의 일환으로 생각해 봐. 물질이나 다른 사람들의 기대에 휩쓸리지 않고, 먼저 내 안에 어떤 꿈과 목표가 있는지 생각해봐.

좋은 성적과 유명한 직장도 중요하지만, 그런 것만으로는 진정한 행복을 찾기 어려워. 성취를 이룬다 해도, 마음이 허전할 거야. 그래서 공부는 엄마나 아빠의 강요에 의해서 하는 것이 아니라, 네가 꿈꾸는 미래를 향한 여정의 일부로 생각하면 좋을 것 같아.

페이스 북의 창업자 마크 주커버그는 하바드 대학교를 자퇴하고 페이스 북이란 회사를 만들어 세계적인 기업으로 만들었지. 누가 보면 대학을 졸업 하고 일을 시작하는 게 좋지 않을까 조언을 한 사람도 있었겠지만, 자신이 하고자 하는 목표가 생겼을 때 결단하고 그리고 그 일을 만들기 위해 노력하고 공부를 했기에 그 위대한 사업을 할 수 있었다고 생각해.

목표를 세우고 그것을 이루는 과정에서 진정한 성장과 만족을 느낄 수 있을 거야.

2) 학교도 작은 사회

학교는 단순히 공부만 하는 공간이 아니라는 것을 명심해야 해. 학교는 다양한 친구들을 만나 기쁨, 슬픔, 인내와 우정을 나누며 여러 선생님과 소통하는 작은 사회야.

학교는 좋은 친구들과 함께 성장하고 나누는 기쁨도 있지만, 나쁜 영향을 주는 친구들도 있을 거야. 초등학교부터 고등학교, 대학교까지 다양한 사람들과 소통하게 될 텐데, 그들과 어떤 관계를 형성하느냐는 네 선택에 달려 있어.

너와 잘 맞는 친구들을 찾게 되면, 함께 공부하고 서로 도와

주며 평생 함께 할 친구로 만들어 봐. 갈등이 생길 때는 용기와 지혜로 문제를 해결하는 법도 찾아보도록 하렴. 중요한 건 선생님과 친구들과의 좋은 관계를 유지하기 위해서는 항상 노력하는 자세이고, 다른 이에게 도움이 되도록 노력하는 마음을 갖는 거야.

아빠도 고등학교 학창 시절 방황할 때 부모님에게도 말 못 할 고민이 많았어. 그때 가장 친한 친구가 아빠의 고민을 들어주고 같이 기뻐하고 슬퍼해 주었지. 그 친구가 고민을 해결해 주진 못했지만 큰 위로가 되었어. 이렇듯 네가 나이가 들면 부모님보다 친구들과 더 많은 시간을 보내게 될 텐데 좋은 친구를 꼭 찾길 바래. 그것은 인생에 큰 선물이 될 거야. 학교생활을 네 스스로 개척하는 경험은 앞으로 어른이 되어서 사회생활을 할 때 큰 도움이 될 거야.

3) 할 것과 안 할 것

학교 생활에서는 해야 할 일과 피해야 할 일이 있어. 해야 할 일을 생각해 본다면 학교 숙제도 열심히 해야 하고, 선생님의 가르침에도 귀 기울여야 하며 친구들과의 우정을 쌓으며 서로 발전할 수 있는 일들을 찾아 노력하는 일이 될 거야. 함께 연구하고 성과를 이루어 나가는 것은 그 자체로 멋진 경험이지.

그러나 때로는 선생님이나 친구들과 갈등이 생기거나 어려운 상황에 직면할 수도 있어.

예를 들어, 학교에서 몇몇 좋지 않은 친구들이 부적절한 행동을 하는 경우가 있을 때 그들의 나쁜 행동에 끌리지 말고, 당당하게 거절의 의사를 표현해야 해. 학교폭력이나 불합리한 상황, 차별과 같은 옳지 않은 상황에 직면하면 당당하게 말할 수 있는 용기가 필요해. 혼자 고민하지 말고 부모님과 선생님에게 말하고 함께 논의하는 것이 중요해.

항상 바른 마음가짐으로 학교 생활에서 해야 할 일과 하지 말아야 할 일을 잘 판단하고, 지혜롭게 좋은 추억을 만들 수 있는 학교 생활이 되길 바래.

4) 당당하게

학교는 대체로 좋은 친구들과 선생님이 있지만 간혹 선생님이 부당한 말을 하거나 친구들이 좋지 않은 이야기를 할 때, 혹은 힘이 세거나 나쁜 성격을 가진 아이들이 괴롭히는 상황에 처했을 때는 주눅 들지 말고 당당하게 말해야 해. 이성적으로 논리적으로 분명하게 네 생각과 감정을 전달하는 게 중요해. 그것은 예의 없거나 상대를 나쁘게 하려는 의도가 아닌 정당한 너의 권리야.

하고 싶은 이야기는 감정에 휩싸여 말하지 말고, 차분하게 그 문제를 제시하고 해결하는 데 집중해야 해. 혹시 네가 오해를 했다면 대화를 통해 오해를 풀고 기분이 나빴던 거라면 그 이유에 대해 상대에게 말하고 다시는 그런 일이 되풀이 되지 않도록 해야 해.

하지만 표현에 있어서 무례하거나 나쁜 말을 쓰면서 이야기하는 건 조심해야 할 일이야. 그건 문제를 해결할 수 없고 오히려 상황을 더 악화시키게 될 거야. 상대방을 존중하면서 네 마음을 정확하게 전달한다면 어떤 문제나 갈등도 잘 해결할 수 있을 거야.

5) 궁금하면 물어봐

어디서든 궁금한 것이 생기면 주저하지 말고 솔직하게 물어봐. 이런 질문을 한다고 해서 혹시 주변 친구들이 놀리지 않을까, 선생님이 이걸 잘 받아들여 줄까 하는 걱정 때문에 겁내서 물어보지 않고 가만히 있는 것은 오히려 잘못된 행동이야.

작은 것이라도 궁금한 사항이 있다면 언제나 자신 있게 물어보는 게 중요해. 모르는 건 부끄러운 일이 아니야. 모르는 걸 알려고 하지 않는 것이 더 부끄러운 거야.

이해되지 않는 부분이 있으면 끝까지 물어보고 스스로도 그 문제를 이해할 때까지 알아가는 노력을 해 보렴. 그 궁금증은 너를 발전시키는 큰 힘이 될 거야. 또한, 친구들과 궁금증에 대해 논의하고 서로 해답을 찾는 노력도 아주 가치 있는 일이야.

초등학교 수업 시간에 있었던 일이야. 아빠는 선생님이 말씀하는 산수 문제를 잘 몰라서 손을 들고 질문을 했어. 그런데, 옆에 있던 친구가 그것도 모르냐며 아빠를 놀렸고 어린 마음에 창피함을 느꼈지. 그러나 시간이 지나고 생각해 보니 그때 물어보지 않았다면 아빠는 그 산수 문제를 한참 지난 다음에 알 수 있었을 거야. 물어보는 게 창피한 일이 아니란 걸 알게 되었지.

질문과 해답을 찾는 일을 즐겁게 생각하면 더 발전된 학교 생활을 할 수 있을 거야.

제 2장

가정 생활

1) 가족이란

가족은 네 인생에서 가장 중요한 존재란다. 네가 나이가 들어서 배우자를 만나고 결혼하고 아이를 낳는다면 가족의 소중함을 더욱 느끼게 될 거야. 가족은 네가 힘들 때나 즐거울 때 언제나 함께하며, 네가 살아가는 힘의 근원이라 할 수 있어. 가족의 소중함을 모르고 사는 사람은 불행한 사람이지.

가족은 아끼고 가꾸어야 더욱 행복해 질 수 있어. 그런 노력과 헌신 없이는 가족 사랑이 커지지 못해. 특히 가장이 된다면 가족을 더욱 소중히 여기고, 가까이 있을 때 서로를 이해하며 존중해주고 좋은 추억을 쌓는 일을 우선으로 두는 것이 좋아. 가족과의 관계도 네가 시간과 사랑을 들여서 만들어 나가는 거야. 마치 나무와도 같아. 물을 주고 아끼면 꽃도 피우고 열매도 맺지.

아빠는 어렸을 때 부모님 두 분 다 일을 하셔서 자주 시간을 갖지 못했어. 특히 아버지는 일을 하느라 아주 바쁘셔서 가족 여행을 다니거나 놀아 주실 시간이 없었지. 나이가 들어 아빠가 결혼하고 집을 떠난 후 아버지는 어느 날 왜 너희가 어릴 적 여행도 다니고 같이 하는 시간을 갖지 못했는지 후회된다고 하셨어. 그러면서 가족과 함께하는 시간을 아무리 바쁘더라도 꼭 만들라고 하셨지. 아빠도 그 말에 전적으로 동감하고 있어.

가족은 네 인생 여정에서 함께 나아가는 동반자라는 걸 명심해. 함께 성장하고, 어려움을 극복하며, 행복한 순간들을 함께 나누게 될 거야. 가족은 단순한 존재가 아니라 네 삶에 의미를 부여하는 특별한 존재들이라는 걸 기억하렴.

2) 내방

너의 방은 인생에서 특별한 의미를 지닐 거야. 그곳은 네가 자유롭게 표현하고 편안하게 머무를 수 있는 너만의 공간이기도 하지. 학교에서든 집이든 어디서나 그곳은 단순히 자는 곳 이상으로, 네가 창조하고 성장하는 공간이 되어야 해.

너의 모든 필요한 것들을 잘 정리하고 음악을 듣거나 좋은 책을 읽으며 재충전의 시간을 가져봐. 사람들과 만나는 시간도 중요하지만 네 방에서 혼자 고민하고 계획하면서 미래에 대한 나의 모습을 그려보면 좋아.

즉, 자신과 소통하면서 내면의 세계를 발견하려고 노력하면 너의 꿈에 좀 더 가까이 갈 수 있을 거야.

아빠는 어릴 적 형과 같이 한 방을 써서 때로 혼자 있고 싶거나 나만의 중요한 물건을 진열 하고 싶어도 그러지 못했어. 왜냐하면 같이 쓰는 공간은 나만을 위해 쓸 수 없고 서로 배려하며 써야 하거든. 만약 너도 기숙사에 들어가서 같이 방을 쓰게 된다면 조금은 독립적으로 쓰기 보다는 배려하면 써야 할 거야.

3) 집사랑

결혼을 하면 사랑스런 가족과 보금자리가 생기는데 우리는 집이라고 부르지. 집이란 공간은 가족 모두 함께하는 공간이며 가장 기초가 되는 울타리란다. 그래서 집을 잘 가꾸는 것이 좋아. 봄이 되면 꽃도 기르고 가족과 편안하고 안락한 공간이 되도록 아내와 같이 노력해야 해. 모두 아내에게 떠 넘기고 집안 일을 돌보지 않으면 분란이 있을 거야. 왜냐하면 남자가 할 일이 있고 여자가 할 일이 있거든. 못을 박는 다든가 가구를 만든다든가 남자가 해야 할 일은 적극적으로 해야 해.

아이들도 어릴 때부터 아빠와 엄마가 함께 집을 가꾸는 모습을 보는 것은 자체로 좋은 교육이거든.

너도 기억하겠지만 작년 봄에 꽃바구니를 사서 베란다에 놓았을 때 새들이 그 바구니에서 새끼를 낳는 걸 보았을 거야. 우리 가족 모두 기쁜 마음으로 새끼가 자라는 걸 보았지. 아마 올해도 예쁜 꽃바구니를 놓게 될 거야. 그런 시간이 먼 훗 날 너의 기억에, 집에 대한 애틋한 추억으로 남게 될 거야.

그렇게 같이 집을 가꾸다 보면 더 포근하고 안락한 공간으로 서로 만들어 갈 수 있고 사랑이 더 꽃필 거야.

4) 정리정돈

'정리 정돈하라'는 엄마의 말이 익숙할 거야. 하지만 그 말은 물건뿐만 아니라 생각, 돈, 건강, 시간 모든 영역에 필요한 거 같아. 정리 정돈을 잘하면 어디에서든 효율적이고 실수가 줄어들 거야.

그러나 소홀히 한다면, 모든 생활이 무질서해 지고 많은 손해와 문제가 생길 수 있어. 모든 부분이 체계적으로 정리되면, 네 삶도 훨씬 자신 있고 실수가 적어지며 주변에서도 멋진 사람으로 기억될 거야.

항상 메모하는 습관을 가지고 생각을 정리하여 네 모든 삶을 꼼꼼하게 정돈하는 습관을 유지하는 것을 잊지 말아줘. 그것이 네 발전을 위해 큰 도움이 될 거야.

아빠도 어릴 때 정리하는 습관을 갖지 못해 낭패 당한 적이 있어. 소풍을 가는 날 너무 들 뜬 나머지 아빠가 준비해야 할 레크레이션 물품을 놓고 소풍을 간 거였지. 집으로 다시 돌아갈 수도 없고 친구들에게 비난 받으며 아빠의 소풍은 즐거운 시간이 아니라 빨리 끝나길 바라는 괴로운 시간이었던 걸로 기억돼. 미리 정리를 해서 가방에 넣었다면 그런 문제가 없었겠지. 그 이후로 준비성도 길러지고 정리 정돈을 잘하는 습관이 생겼지.

정리된 생활을 하는 사람은 어떤 도전에도 더 적극적으로 대처하며, 더 나은 미래를 향해 나아갈 수 있을 거야.

5) 가장의 자리

남자는 결혼을 하면 집안의 가장으로 불리지. 집안을 이끌어 간다는 의미의 단어야. 물론 요즘은 아내와 같이 상의 하면서 같이 가정 생활을 만들어 나가지만 예전에는 남자가 밖에서 돈을 벌면 아내는 집에서 아이들을 키우고 집안 살림을 꾸려 나갔지. 그런데 현대 사회로 발전하면서 맞벌이 가정이 많아 지고 아내와 남편이 같이 일과 육아를 병행하고 있어. 그러다 보니 자칫 아내가 좋은 직장에 다녀 수입이 좋거나 능력이 있어서 남편이 가장으로 본분을 잊고 아내에게 의존한다면 그건 잘 못된 생각일거야.

각자의 능력이 달라 그런 결과가 있더라도 남자는 경제 활동에 최선을 다하며 가정에 대한 경제적 책임감을 가지고 살아야 해.

예전 아빠의 선배는 좋은 직장을 다녔었는데 어느 날 회사가 힘들어져서 문을 닫게 되었지. 한창 아이들 공부할 시기였고 다른 직업을 찾을 시간도 충분하지 않아 마트에서 일하는 등 힘든 일이라도 할 수 있는 일은 온 힘을 다해 일하는 걸 보았어. 주변 모든 사람은 예전 직장에서 어떤 일을 했건 주어진 상황에 최선을 다하는 그 분의 모습에 응원했고 곧 좋은 직장을 다시 찾아 안정을 찾았지.

그렇게 최선을 다해 가장의 역할을 위해 노력 할 때 결과에 상관 없이 가족 모두 너를 존경하고 사랑하게 될 거야.

제 3장

사회 생활

1) 인간 관계법

살면서 제일 중요한 것 중 하나는 좋은 인간관계를 만들어 나가는 거야. 그런데 학교 친구, 직장 동료, 사업 활동을 하며 마주치는 이들과 좋은 관계를 만드는 게 생각보다 복잡하고 어려워.

좋은 인간관계를 쌓기 위한 첫 걸음은 먼저 상대에게 좋은 인상을 주는 거야. 좋은 언어와 매너, 상대를 배려하는 마음을 갖는다면 사람들은 나를 좋은 사람으로 기억하게 될 거야. 그런데 과하게 노력할 필요는 없고 자연스럽게 마음이 맞는 사람들과 관계를 형성하고 유지하면 돼. 만나는 사람 중에 가끔은 서로 이해 안 되는 상황이 있을 수 있지만, 그럴 땐 서로의 다름을 인정하고 강요하거나 억지로 맞추려고 할 필요는 없어.

아빠가 직장 생활을 할 때 모든 일을 부정적으로 말하는 사람이 있었어. 모두 그 사람과 대화하기를 싫어했지. 어느 날 그 사람이 찾아와 회사,가정, 동료 등에 대한 다양한 불평을 늘어놓기 시작했지. 아빠도 듣기 싫었지만 일단 다 들어 주었어. 한참을 이야기한 후 그 사람은 자기 이야기를 들어 줘서 고맙다고 말하며 나갔어. 자기의 이야기를 끝까지 들어 준 사람이 없었다는 거야. 단지 아빠는 이야기를 들어줬을 뿐인 데 말이지. 상대방 말에만 귀를 기울여도 좋은 인간관계가 만들어진다는 것을 배웠지.

이런 가치를 기반으로 만남을 가지면, 좋은 인간관계는 자연스럽게 만들어 질 거야. 항상 나에게 긍정적인 영향을 끼칠 수 있는 좋은 인간관계를 추구해 나가길 바라.

2) 인정 받기

사람들 사이에서 인정받는 것은 정말 중요한 가치야. 학교든 직장이든, 네가 속한 곳 어디든 인정받는 것은 너의 자존감과 성장에 큰 영향을 미칠 거야. 인정받는 것에는 다양한 면이 있는데, 첫 번째로 네가 하는 일에 대한 실력을 인정 받는 거야. 항상 최선을 다해 자기 일에 전념하고 노력하는 모습은 주변에서 인정받을 수 있는 첫 단추라는 걸 명심해줘.

두 번째로는 좋은 인품을 유지하는 것이 중요해. 네가 갖추고 있는 성격적인 면모가 또 하나의 큰 역할을 하는 거야. 실력과 더불어 좋은 성품으로 다른 사람들과의 소통에서 성숙함을 보여야 해. 좋은 성품을 갖추면 어디에서든 사람들이 너를 좋아하고, 너를 훌륭한 사람으로 보게 될 거야.

인정받음으로써 더 큰 도약이 가능해지고, 성장의 기회도 늘어날 거야. 항상 자신에게 도전하고 더 나은 모습을 추구하면서, 주변 사람들과의 관계도 소중히 여기길 바래.

3 할말 못할 말

사회 생활을 하면 다양한 대화 상황을 맞이하게 돼. 말을 잘하면 좋은 이미지로 남을 수 있지만, 반대로 말을 못하면 나쁜 이미지를 줄 수도 있어. 그래서 말할 때는 해야 할 말과 하지 말아야 할 말을 잘 고르는 말의 기술이 필요해.

말할 때에는 특히 사용하는 단어가 중요해. 어떤 상황에서도 나쁜 말이나 욕설 쓰는 건 피하고, 상대방의 약점을 찾아 상처 주지 않도록 주의해야 해. 상대방의 잘못을 지적하고 싶을 때는 먼저 상대방의 장점을 언급하고, 상대의 입장에 대해 이해를 나타내면서 대화하는 게 좋아. 그 후에 고칠 점이나 개선사항을 언급한다면 받아들여 질 거야.

아빠의 중학교 학창 시절에 단짝인 친구가 있었어. 그 친구는 항상 아빠를 도와준다고 하면서 잔소리를 많이 했지. 그런데 아빠도 그 마음은 알지만, 잔소리를 듣기 싫어 너도 잘 못하면서 왜 잔소리를 그렇게 하니. 그러니까 친구들이 너를 싫어하잖아. 라는 말을 해버리고 말았어. 순간 친구는 얼굴이 굳어지고 한동안 사이가 멀어지고 말았지. 순간 화가 나서 해버린 말에 친구가 상처를 받은 거지. 다시 관계를 회복하는데 긴 시간이 필요했어. 만약 그때 좋은 말로 내 의견을 전달했다면 그렇게 상처를 받지 않았을 거라고 생각해.

생각 없는 무분별한 말, 상대를 무시하는 말, 무관심한 태도를 버리고 대화할 때 상대를 배려하고 존중하는 마음을 항상 갖는다면 누구와도 좋은 관계가 만들어질 거야.

4) 눈치

'눈치'라는 표현은 미국에서 흔치 않는 표현으로, 이는 다양한 맥락에서 다르게 해석될 수 있는 표현이야. 나쁜 의미로 사용되면 겁이 많아서 다른 사람의 상황에 따라 수동적으로 내 의사를 결정하는 걸 말하고, 좋은 의미로는 주변 상황을 지혜롭게 파악하고 적절한 행동을 하는 데에 도움이 되는 센스라고 할 수 있어.

예를 들어, 극장에서 재미있다고 혼자 큰 소리로 이야기를 하는 것은 주변의 분위기를 고려하지 않는 행동으로 비난 받을 수 있어. 또한 도서관에서 다른 사람들이 조용히 책을 읽는데 큰 소리로 말하는 것은 눈치 없는 행동으로 여겨질 수 있지.

식사 자리에 좋은 음식이 남아 있으면 상대방이 먹도록 배려하는 이런 세심한 행동을 좋은 눈치라고 볼 수 있어. 네가 속한 조직이나 만날 사람들에 대한 위치, 행동, 말투 등을 적절하게 조절하는 것은 센스 있는 행동이 될 거야.

특히 연애나 결혼을 하기 위해 상대방의 부모님을 만나게 될 때 그분들이 좋아하실 행동이나 말을 눈치 것 한다면 사랑 받을 수 있을 거야.

이러한 눈치를 익히면 너에 대한 좋은 인상을 남길 수 있을 거야.

5) 보고 싶은 사람이 되자

보고 싶은 사람은 어떤 사람일까? 우리는 살아가면서 많은 사람을 만나게 되는데, 그들에게 좋은 사람이 되고 기억에 남는 사람이 되는 건 정말 행복한 일이야.

학교 모임이나 사회 모임, 종교 모임 어디서든 사람들이 널 찾고 함께 있기를 원하고, 그 모임이 끝나고 나서도 널 보고 싶어하면 네 인생을 성공적으로 살았다고 말할 수 있을 거야.

이런 관계를 만들기 위해 강요하거나 억지로 특정한 행동을 통해 이미지 만들려고 하지 말고, 마음에서 나오는 자연스러운 태도로 항상 사람들을 진실하게 존중하고 너그럽게 대해야 돼. 어려운 순간에 이해와 도움의 손길을 내밀면, 더욱 사람들은 널 잊지 못할 거야.

늘 솔직하고 따뜻한 태도를 유지하며, 네 자신뿐만 아니라 주변의 다른 이들에게 존중하는 마음을 지니면, 넌 보고 싶은 사람으로 계속 기억될 거고 그게 행복한 인생을 만들어 나가는 비결이 될 거야.

6) 잘난 척 하는 사람은 피해라

사회생활에서 가끔은 잘난 척하는 사람들을 마주칠 수 있어. 돈, 직장, 부모님, 학력 등, 물질을 자랑하는 경우가 있는데, 이런 자랑을 하는 사람을 주변에서 좋아하는 사람은 없을 거야. 그런 사람들과 너무 가까이 지내지 말고 적당한 거리를 유지해. 겸손한 태도가 사람 관계에서 가장 중요하다고 생각해. 자기 자랑이 심한 사람들은 종종 자기 자신을 올바르게 평가하지 못하는 경우가 많아서, 이들과 너무 가까이 지내면 같은 종류의 사람으로 오해를 받을 수도 있어.

하지만 일부러 관계를 끊을 필요는 없지만 적당한 거리를 유지하면서, 기회가 된다면 겸손의 가치를 알 수 있도록 진심 어린 조언을 해줘도 좋아.

예전 아빠 친구 중에 자기가 아는 지식 자랑을 좋아하는 친구가 있었어. 어느 모임에 가든 사람들이 궁금해하지 않는 자기 지식 자랑을 길게 늘어놓곤 했지. 자꾸 그러니까 점점 사람들이 그 친구를 부르지 않게 되었고 나중에 자신도 깨달았는지 시간이 지나 다시 만났을 때 철없었던 예전 모습을 후회한다고 말한 것이 기억나.

언제나 네 주관을 지키고, 다른 사람의 자랑 속에 휩쓸리지 않고, 네가 가진 가치와 태도를 지켜가면서 지혜롭게 사회생활을 즐기면 좋을 거야.

7) 설득의 기술

때로는 다양한 상황에서 상대를 설득해야 하는 순간들이 있을 거야. 사업 파트너를 이해시키거나, 새로운 직장의 인터뷰 등 내 의견을 이해시켜야 할 때가 있는데 이런 상황에서 어떻게 상대를 효과적으로 설득할 수 있을까?

먼저, 그 사람의 의견을 청취하는 것이 핵심이야. 상대방의 말에 귀를 기울이고 그들의 의견을 존중하는 것이 중요해. 그리고 상대방의 성격을 고려해서, 너의 의견을 전달할 방법을 고민해봐야 돼. 너의 생각을 길게 이야기하는 것보다는, 간결하고 이해하기 쉬운 표현으로 상대방과 소통하는 것이 효과적일 거야.설득은 객관적이고 이해 가능한 언어로 이야기할 때 가장 효과적이라는 걸 명심해야 해. 불필요한 화려한 어휘보다는 단순하면서도 강력한 표현을 선택하는 것이 좋아.

성공적인 설득은 양측이 혜택을 얻을 수 있는 상황을 만들어내면서 타협을 찾는 거야. 상대방이 어떤 이득을 얻을 수 있는지 강조하고, 상호 협력적인 태도로 접근하면 상대를 더 쉽게 설득할 수 있을 거야.

다시 말해, 동생이든 가족이든 누구든 설득하려면 먼저 그들의 입장에 서서 충분한 이해를 시키는 것이 중요하다는 걸 잊지마. 상대방의 입장에서 생각하고 공감하는 노력이 설득의 핵심이라는 것을 명심하렴.

제 4장

연애와 결혼

1) 겉보다 속

나이가 들면 언젠가는 연애와 결혼에 대해 생각해보게 될 거야. 연애 또는 결혼 대상을 찾을 때 가장 핵심이 되는 것은 아름다운 내면을 가진 사람을 만나는 거야. 외모가 얼마나 돋보이든, 그 마음이 선하지 않거나 진정으로 너를 이해하고 사랑하지 않는다면, 그 관계는 오래 가지 않을 거야.

네가 만나게 될 이성은 너를 마음으로 이해하고 배려해주며, 의리를 중시하고 어른을 존경하는 사람이면 좋겠어. 화려한 외모만큼이나 중요한 것은 그 사람의 내면이거든. 침착하고 항상 사려 깊은 사람이야말로 진정한 동반자가 될 거야.

깊은 이해심으로 어떤 상황에서든 의논할 수 있고 너의 고민을 함께 해결해 나갈 수 있는 사람을 만나야 해.

네가 사업에 실패하거나 직장에서 어려움을 당하거나 좋지 않은 일이 생겼을 때 너를 위로하고 용기를 준다면 너는 다시 힘을 얻고 힘든 일을 극복할 용기가 생길 거야.

다시 말해, 네가 만날 여자친구나 결혼 상대는 너의 인생을 함께할 소중한 동반자가 되어줄 특별한 사람이기 때문에 너의 가치관과 마음을 잘 이해하고 공감할 수 있는 사람을 찾으면 평생 행복하게 살게 될 거야

2) 100년 친구를 찾아라

나이가 들면 연애도하고 결혼도 하게 될 거야. 평생의 배우자를 찾는 순간이 오지.

배우자는 평생의 동반자이기 때문에 신중하게 만나는 게 중요해. 사랑하는 사람을 찾게 되면 관계를 잘 설정하는 게 중요한데, 일방적으로 한 쪽을 맞추는 관계보다는 서로를 잘 이해해 줄 수 있는 관계가 바람직해. 그래서 이해심과 배려심이 많은 사람을 찾으렴. 100년 동안 함께 할 친구를 찾는다는 마음으로 애인, 배우자를 선택하면, 네 인생에서 가장 성공한 일이 될 거야.

그래서 다양한 사람들을 만나보는 것을 추천해. 결혼 전에 여러 이성 친구들과 건전한 관계를 유지하면서, 누가 나와 가장 잘 맞는지 마치 바다에서 진주를 찾듯 신중하게 찾길 바래.

예전 어떤 영화의 한 장면이었는데 노년의 부부가 바닷가에 앉아 서로의 손을 잡으며 석양을 보는 모습이 기억나. 그렇게 나이가 들어도 애틋한 모습으로 같이 지낼 수 있는 배우자를 만난다면 세상 어떤 인생보다 성공한 인생이라 할 수 있을 거야.

절대 상대방의 외적인 것만 보지 말고 깊은 대화를 통해 삶의 철학, 추구하는 방향, 인생관이 맞는 사람을 찾고 그 사람에게 너도 그런 사람이 되도록 노력한다면 서로 평생 행복하게 살 수 있을 거야.

3) 너 보다 나

연애하거나 결혼생활을 하다 보면 상대방에게 상처를 줄 때가 있어. 그 이유는 대개 상대방보다 나 자신을 먼저 생각하기 때문이야. 연애든 결혼이든 일방적으로 상대를 배려하지 않고 이기적인 마음으로 나 자신에게만 맞춰 달라면 힘든 연애나 결혼 생활이 될 거야.

진정한 사랑으로 발전하기 위해서 서로를 존중하고 이해하는 노력이 필요해. 상대방을 먼저 생각하고 그의 감정, 좋아하는 것들, 성격 등을 이해하면 오해나 갈등이 더 적어지고 서로에 대한 감사함이 더 커지지. 상대방의 입장에서 생각해 보고 노력하는 것이 성공적인 사랑을 만드는 연쇄가 될 거야.

나와 달라서 이해하기 힘든 부분이 있겠지만 그럴 때일수록 그런 성향을 인정하고 또 그런 부분이 불편하다면 상대에게 대화를 통해 이해시켜서 지혜롭게 조정해 나간다면 행복한 열매를 맛볼 수 있을 거야.

보통 많은 연인이 연애할 때 나와 다른 모습 때문에 매력에 빠지는데 그 다른 모습이 결혼을 하고 같이 생활 하면서 불편함이 되고 갈등을 일으키기도 해. 그럴 때 서로 마음을 열고 다름을 인정하면서 살 때 더 큰 사랑으로 만들어 지지. 나와 달라서 이해하기 힘든 부분이 있겠지만 그럴 때일수록 그런 성향을 인정하고 또 그런 부분이 불편하다면 상대에게 대화를 통해 이해시켜서 지혜롭게 조정해 나간다면 행복한 열매를 맛볼 수 있을 거야.

4) 사계절은 만나라

이성을 만날 때 급히 사랑에 빠지고 친해져서 결혼까지 하고 싶은 마음이 들 때가 있어. 그러나 너무 급하게 사랑을 하지 말고 사랑하는 이성과 봄, 여름, 가을, 겨울, 사계절 이상 만나보길 추천해. 시간을 가지고 만나보면 장점뿐 아니라 단점도 보일 거야. 그때에도 그 사람이 계속해서 좋다는 마음이 든다면, 그 사람의 모든 것을 사랑할 수 있는 준비가 된 거야.

짧은 시간에 장점을 보고 급하게 사랑에 빠져 연애하고 결혼까지 하는 사람 중에는 다 그렇진 않지만 단점 때문에 실망하고 헤어지는 경우도 있어.

결혼은 연애와 달리 가족간의 약속이라서 깨기 어려운 일이야. 보이지 않았던 단점이 분쟁으로 이어지고 큰 갈등과 싸움으로 커져 불행한 결과를 맞기도 하지. 그래서 연애할 때는 충분한 시간을 가지고 그 사람의 여러 가지 면을 살펴보는 게 정말 중요해.

서로 천천히 좋은 추억을 만들며 나무처럼 사랑을 키워 간다면 아름다운 사랑의 결실을 맺을 수 있을 거야.

5) 정신적 사랑이 진짜 사랑

사랑에는 여러 종류가 있어. 크게 정신적인 사랑과 육체적인 사랑이 있지. 우리 인간은 동물적 본성을 가지고 있어서 육체적인 사랑에 많이 자극되고 끌리기도 하지만 우리 인류의 진정 가치 있는 사랑은 정신적인 사랑이야.

연애하는 이성이 아름다운 외모를 가지고 있어도 네 마음을 불편하게 하고 힘들게 한다면 서로 진정한 사랑을 지속하기 힘들 거야. 육체는 시간이 지나면 늙고 병들어가거든. 그래서 육체의 매력은 오래가지 않아. 그러나 정신과 육체의 사랑이 하나가 될 때, 자식을 낳고 가족을 이루며 완전한 사랑으로 살아갈 수 있게 돼.

망부석이란 단어가 있어. 사랑하는 남편이 멀리 전쟁터로 떠나 아내는 매일 뒷산에 올라가 돌아올 날을 기다리다 어느 날 돌이 되었다는 전설이 있어. 그래서 망부석은 애절한 정신적 사랑의 단어로 쓰이게 되었지.

서로간 마음으로 사랑을 느끼고 서로를 깊이 이해하는 정신적인 사랑을 추구해봐. 그 정신적인 사랑, 영적인 사랑이야말로 미래의 동반자와 행복하게 살아가는 길이 될 거야.

6) 배려심 과 이해심

성공적인 연애와 결혼의 조건 중 하나는 배려심과 이해심이야. 남자와 여자가 만나면 좋아하는 점도 있지만, 또 다른 면도 많아.

특히 결혼은 같은 공간에서 살아가야 되기 때문에 부딪칠 일이 정말 많아. 네가 평생 살던 습관이 있잖아. 상대방에게 무조건 나에게 맞추라고 하는 건 상대도 평생 살아온 습관이 있는데 얼마나 괴로울지 상상해봐. 그래서 같은 공간에서 서로 배려하고 이해해주는 게 정말 중요해.

상대가 나와 다르더라도, 네가 먼저 이해하고 그 다음에 이해를 구하는 마음이 중요해. 네가 맞고 상대방이 틀렸다고 생각한다면 서로 항상 싸우게 될 거야.

여행하거나 식사를 할 때, 좋아하는 TV 프로그램을 볼 때, 서로의 취향이 다를 수 있어. 그럴 때마다 서로 맞춰주려고 노력하고 이해해주면, 싸움이 줄어들 거야. 그렇게 시간이 지나면 서로가 조금씩 맞춰지게 될 거야. 처음부터 배려심과 이해심을 갖고 상대방을 대하려 노력한다면 행복한 연애와 결혼이 될 거야.

7) 자기애가 강한 사람은 피해라

연애 상대를 만날 때나 결혼 상대자를 생각할 때, 자기 자신을 지나치게 사랑하는 사람은 피하게 좋아. 특히 이기적으로 자신에게만 맞춰주길 바라는 사람과 결혼하면 서로 의견 절충이 안되고 싸움이 많아져 헤어질 가능성이 높아지기도 해.

연애나 결혼은 함께 하는 것이기 때문에 항상 서로의 의견을 경청하고 화합해야 하거든.

물론 자기 자신을 사랑하는 것은 중요하지만, 지나치게 자기 자신만을 사랑하고 의견을 고집하는 사람은 상대의 끊임 없는 동의를 구하게 되는데 한쪽이 일방적으로 참고 따라주는 것도 어느 순간이 되면 한계에 다다르게 되고 걷잡을 수 없는 갈등으로 표출되게 되어있어. 그러니 연애 대상을 찾는다면 그러한 사람을 피하고 서로를 존중하고 이해심이 많은 사람을 찾아 행복한 순간을 만들어 가길 바래.

제 5장

일과 직업

1) 돈보다 좋아하는 일을 찾아라

대학을 졸업하면 직장에서 일을 하게 될 거야. 직업 선택에 있어 중요한 건 돈보다는 네가 좋아하는 일을 하는 거야. 돈을 많이 버는 일도 중요하지만, 그 일이 네게 행복함을 주지 않거나 적성에 안 맞으면 오래 하기 힘들어질 거야.

그래서 어렸을 때부터 "나는 어떤 일을 하면 행복할까?" 라는 질문을 자주 던져봐. 내가 어떤 직업과 직장에서 일을 하면 좋을지 생각하는 게 필요해.

대학과 직업 선택할 때도 네가 좋아하는 일을 중심으로 미리 고민하면 좋을 거야. 평생을 네 적성과 관심사에 맞는 일을 하면서 돈을 벌면 더 큰 행복을 누릴 수 있을 거야.

많은 사람들은 사실 그렇게 하지 못해서 적성에 안 맞는 일을 하다가 중간에 그만두고 다른 일을 하는 경우가 많아. 그럴 때는 자칫 인생의 소중한 시간을 낭비하게 될 수 있어.

그러니 어릴 때부터 내 적성, 내가 좋아하는 분야를 깨닫고 어떤 일을 하면 재미있을 지를 생각해 봐. 그러면 몸과 마음을 더 풍요롭게 살 수 있을 거야.

2) 전문가

직업을 갖게 되면, 그 분야에서 최고의 전문가가 되는 것을 목표로 삼아봐. 세상 모든 분야는 전문가를 필요로 해. 빵을 잘 굽는 제빵 전문가, 법률에 정통한 법률 전문가, 아픈 이들을 치유하는 전문 의사, 혹은 아름다운 그림을 그리는 화가. 어떤 분야에서든 오랜 기간을 투자해서 그 분야의 최고가 되도록 해봐. 네가 선택한 분야에서 최고의 전문가가 되면 네가 그 분야에서 서비스를 제공할 때 뛰어난 완성도를 보장할 수 있을 거야. 너의 전문성은 시간이 지나면서 더 쌓일 거고 그 분야에서 독보적인 위치에 서게 될 거야.

많은 자격증을 취득하는 것이 스팩을 쌓는 거라 생각하는 사람들도 있지만, 한 분야에 오랜 기간을 투자하여, 그 분야에서는 너를 따라올 수 없는 전문가로 성장하게 되면 네가 누군가에게 서비스를 제공할 때 더욱 확실하고 탁월한 결과를 줄 수 있을 거야. 이는 직업인으로서 가져야 할 중요한 자세야. 그러니 네가 택한 일, 너의 직업에 최고의 전문가가 되도록 노력해 보기를 바란다.

3) 봉사하는 마음으로

미래에 어떤 직업을 택하든, 단순히 돈을 벌기 위한 목적이 아니라 봉사 정신을 갖고 일하는 것이 중요하다는 점을 강조하고 싶어. 자동차 기술자나 의사, 어떤 분야에서든 네가 제공하는 서비스를 이용하는 사람들에게 봉사의 가치를 전하는 것은 의미 있는 일이야.

돈만을 추구하는 것이 아니라, 직업을 통해 사회에 기여하고 어려운 이들을 돕는 봉사활동에 시간을 투자한다면, 이러한 경험을 통해 얻는 기쁨은 돈으로 측정할 수 없을 정도로 큰 보람이 될 것이야. 이것을 사회 환원이라고도 부르지.

세계적인 여배우 오드리햇번이란 배우가 있었어. 미녀 배우로 세계적으로 유명한 배우였는데 은퇴 후 아프리카에 가난한 어린이들을 위해 일평생을 바쳐 봉사했지. 사람들은 모두 젊을 때보다 더 아름다운 모습의 배우로 찬사를 보냈어. 앞으로 어떤 일을 하든 항상 봉사 정신을 잊지 말고 사회에 기여하는 마음을 소홀 히 하지 않으면 보다 행복한 직업인으로 성장할 수 있을 거라 생각해.

앞으로 어떤 일을 하든 항상 봉사 정신을 잊지 말고 사회에 기여하는 마음을 소홀히 하지 않으면 보다 행복한 직업인으로 성장할 수 있을 거라고 생각해.

4) 밸런스

성인이 되어 직업을 가지고 일할 때, 일에만 치중해서 나 자신을 돌보지 않고 가정에 소홀하지 않도록 주의하렴. 개인 생활과 일의 균형을 맞추는 게 중요해. 사회생활을 시작하면 점점 더 많은 일을 하도록 요구 받을 거야.

시간은 한정돼서 어떤 일에 시간을 쓰면 나머지 일에 쓸 시간이 적어져. 그래서 건강과 가정, 그리고 개인 생활에 대한 균형을 잘 유지하는 게 중요하다는 걸 명심했으면 좋겠어.

한 때 아빠도 일에만 몰두하다 나 자신을 돌보지 않아 건강이

나빠진 적이 있었어. 그때가 후회돼.

네가 하는 일을 좋아하게 되면서 너무 일에 치중하게 될 때가 있을 텐데, 스스로 한 쪽에 빠지지 않도록 브레이크를 잡으면서 내 삶의 조화를 이루어야 해. 언제나 일과 생활의 균형을 잘 유지하면 더 나은 미래를 향해 나아갈 수 있을 거야.

5) 평생 직업

대부분 사람들은 직업을 가질 때 은퇴 후 일을 하지 않고 쉰다고 생각하는데 현대인들은 수명도 길어지고 건강 상태도 좋기 때문에 가능하다면 은퇴 후에도 일을 하는 게 정신 건강에도 좋은 것 같아.

그래서 너도 직업을 가질 때 현역에서 은퇴 하더라도 할 수 있는 직업을 가지면 좋겠어. 만약 정년이 있는 직장에서 은퇴를 하더라도 네가 할 수 있는 일을 찾아보고 거기서 행복과 만족을 찾아보길 바래.

많은 시간을 들이지 못해도 요리를 배운다 던지 봉사 단체를 찾아 일은 한다던 지 사람들과 만나고 작은 기쁨을 느낄 수 있는 일이면 충분해.

은퇴 후 아무것도 하지 않다고 작은 사회 생활도 하지 않으면 고립감이나 우울감이 찾아온다고 해. 그러니 너는 젊은 날부터 내가 가진 직업의 기간과 은퇴 후 하고 싶은 일을 구상하며 살면 노년에도 멋지고 계획적인 제 2의 인생을 살 수 있을 거야.

제 6장

감정 표현

1) 한번 더 생각하기

감정을 표현할 때 특히 말로 전하게 되는데 말은 한 번 입에서 나가면 되돌릴 수 없다는 점을 주의해야 해. 말할 때는 신중하게 생각해야 하며, 상대방이 어떻게 생각할 지와 상처를 주는 말인지 주의 깊게 고려하면서 말하는 습관을 갖는 것이 중요해. 때로는 화나고 억울할 때 감정을 강하게 표현하게 되기도 하지만, 그럴 때에도 사용하는 단어와 표현에 주의해야 해.

네 기분이 나쁜 상황을 상대방에게 전달할 때, 나쁜 단어와 말을 통해 해소하면 너는 마음이 후련할지 몰라도 상대방은 마음을 더 닫게 될 수 있고 근본적인 문제는 해결되지 않을 수 있어.

아빠가 어릴 적 친한 친구가 있었는데 그 친구 엄마는 항상 너 때문에 내가 못산다는 말을 자주 했어. 그 친구는 점점 더 반항심이 심해지고 잘못을 고쳐 나가기보다는 더 삐뚤어져 심한 사춘기를 겪으면서 반항심만 더해졌지. 그 친구는 그 어머니의 말에 많은 상처를 받았던 거 같아. 그때 친구 어머니가 그렇게 말씀 하지 않으셨다면 어땠을까?

항상 말을 할 때는 한 번 더 생각하고 상대방의 입장에서 생각하는 습관을 가지면 갈등이 발생했을 때 더 나은 해결책을 찾을 수 있을 거야. 네가 항상 좋은 소통 습관을 가지고 상대방을 존중하며 말하는 습관을 가지면 좋겠어.

2) 급 발진 노!

살다 보면 갑작스럽게 화가 나는 순간이 있을 거야. 직장이든 가정이든 친구 사이든 말이지. 하지만 화가 나더라도 곧바로 감정적으로 대응하는 것은 좋지 않아. 이런 상황에 처했을 때는 냉정하게 이성적으로 상황을 판단하고 대화로 해결하려 노력해봐. 모든 문제는 흥분하면 더 해결되기 어려울 때가 있어. 왜냐하면 흥분한 감정을 가지고 말을 하면 공격적인 단어만 쓰게 되어 상황을 더 악화시킬 수 있거든. 먼저 논리적으로 너의 감정과 부당함을 말하고 해결이 되지 않을 경우 선생님 또는 제 3의 해결 기관을 찾아 해결하는 것이 좋아.

특히 화가 나는 순간, 폭력이나 모욕적인 언어, 슬픔 같은 감정을 지나치게 표현하는 행동은 결코 좋은 해결책이 아니야. 오히려 더 큰 문제를 유발할 수 있어.

문제가 생겼을 때는 차분한 이성과 논리로 지혜롭게 해결하는 네가 되길 바래.

3) 3D로 이해하기

사람은 장점과 단점을 모두 가지고 있어. 그래서 사람을 이해할 때는 다각도로 이해하려고 노력해야 해. 마치 빛을 비추면 어떤 물체도 환한 부분과 어두운 부분이 나타나듯이, 사람도 다양한 측면이 있어서 상황에 따라 좋은 사람으로 느끼기도 하고 나쁜 사람으로 느끼기도 하는 거야.

그래서 친구, 배우자, 비지니스 파트너, 어떤 사람이든 그들이 어떤 행동이나 의견을 나타낼 때 다른 이유가 있을지 다양한 각도로 생각해보는 것이 중요해. 상대방이 왜 그런 생각을 가지게 되었을까, 왜 그런 행동을 했을까를 이해하려고 노력해봐. 상황에 대해 다양한 각도에서 생각해보면, 상대방을 더 깊게 이해할 수 있을 거야.

특히 누군가가 어떤 상대에 대해 좋게 또는 나쁘게 말한 것에 대해 너도 단순하게 동조하지 말고 직접 네가 만나고 느낀 판단을 가지고 상대방을 판단하기 바래.

그렇게 다양성을 깊이 이해하고 받아들이는 자세는, 너의 인간 관계를 더욱 강하게 만들어 줄 거야.

4) 단점보단 장점

이어서 말하자면, 누군가를 처음 만날 때는 그 사람의 장점에 주목하는 것이 중요해. 처음 만난 상대방의 단점을 먼저 보기보다는 장점에 집중하면 상대는 더 마음을 열고 친근하게 다가올 수 있어. 단점에만 주의를 기울이면 상대방이 항상 부정적으로 느껴질 수 있어서 네가 어떤 사람과 사귀기 어려워질 거야.

물론 처음부터 단점이 장점보다 많은 사람이라면, 즉 불평하고 험담하며 부정적인 생각을 하는 사람이거나 배려가 없다면, 그런 사람과 가까이 지내기는 어렵겠지. 하지만 장점이 단점보다 많은 사람이라면, 기회가 될 때 진심 어린 조언을 통해 더 나은 사람이 되도록 해봐. 그러면 그 사람이 너를 고마워하고 더 좋은 관계로 발전할 수 있을 거야.

사람을 이해하고 받아들이는 것은 서로에게 주는 소중한 선물이야. 항상 긍정적인 마음으로 상대방을 바라보고, 서로의 장점과 단점을 이해하려고 한다면 그것은 인생의 좋은 친구를 만드는 원동력이 될 거야.

5) 나의 부족함을 늘 생각하기

살다 보면 네가 하는 일이 잘 될 때가 있어. 하지만 그럴 때 가장 조심해야 할 일이 자만심에 빠지지 않도록 노력하는 거야. 모든 일이 내가 똑똑해서 다 잘된 거란 생각으로 자만심에 빠지면 어려운 일이 닥칠 때 좋은 판단을 못하는 경우가 있어.

똑똑한 사람이라도 자기 눈썹을 보지 못하는 것처럼 누구에게나 부족한 면이 있거든. 그래서 항상 나의 부족함을 인식하고 주변의 조언도 적극 경청해야 해. 그럴 때 주변에서도 너를 존경하고 인정하며 도와줄 거야.

성공은 혼자 힘으로만 되는 게 아니라 많은 사람들이 도와 주었기에 가능하다고 생각해. 그러니 혼자가 아니라 함께 했다는 생각을 가지고 늘 너를 낮추고 일을 하면 더욱 더 발전하는 사람이 될 거야.

물론 스스로 똑똑하다고 자만하면서 성공한 사람들도 있지만 주변에 존경을 받진 못해. 그런 사람을 진정한 성공자로 보기는 어려워. 그러니 늘 겸손하면서 노력하는 네가 되길 바란다.

6) 지적 금지

세상에는 누구도 지적 받는 것을 좋아하지 않아. 만약 직장, 친구, 가족 간에든 누군가에게 지적을 하게 될 때는 그 사람을 배려하면서 말을 해야 해. 잘못된 부분을 고치는 것은 중요하지만,

어떻게 이야기하는지에 따라 자칫 상대방은 마음을 닫고 거부할지도 몰라.

누군가에게 지적을 해야 할 때는, 충분한 유대관계를 형성하고 상대방이 네 이야기를 듣기를 바라면서 신뢰를 조성해야 해. 유화적이고 존중하는 언어로 상황을 이해할 수 있도록 노력해

봐. 상대방이 너의 말을 듣고 받아들일 수 있는 분위기를 조성하는 것이 중요해.

상대방을 존중하고 배려하는 태도로 알려주고 고치기를 바란다면, 상대방도 더 적극적으로 협력하려고 할 거야. 하지만 상대방이 변하지 않고 계속해서 네 이야기를 무시한다면 그때는 강한 지적이 필요할 수도 있겠지.

어떤 일이든 항상 지혜롭게 대처하고, 서로를 존중하는 마음을 갖고 좋은 관계를 만들어 나가길 바래.

7) 조리 있는 말

살아가면서 우린 누구를 만나든 대화를 통해 다양한 감정과 생각을 전해야 해. 그래서 말을 할 때 상대방이 네 생각을 긍정적으로 받아들이도록 전달하는 게 중요해.

많은 말이 항상 좋게 전달되는 말은 아니야. 오히려 상대의 의견을 잘 듣고, 전하고자 하는 내용을 상대방이 잘 이해할 수 있게 쉽고 간결하게 말하는 게 좋아. 즉, 대화는 내 위주가 아닌 상대 위주로 말을 하는 것이 중요해.

말을 많이 하면 실수도 많아져. 한 마디, 한 문장으로도 상대방이 마음 깊이 이해하고 받아들일 수 있도록 하면 진짜 가치 있고 품격 있는 소통이라고 할 수 있어.

말하기 전에 항상 어떤 내용을 어떻게 표현할지 신중히 생각하고, 상대의 입장을 이해하며 그 사람이 네 의도를 잘 파악할 수 있게 말을 선택해 보렴.

8) 모든 바탕은 사랑

감정을 표현하는 건 정말 중요한 일이야. 항상 명심해야 할 건 그 기반에는 사랑이 깔려 있어야 해. 학교, 직장, 그리고 어떤 친구나 가족을 만나 말이나 행동을 할 때 마음 깊이 사랑이 자리하고 있어야 그 관계가 좋은 관계로 발전할 수 있어.

이것은 사람뿐만이 아니라 집에서 키우는 강아지, 그리고 네가 키우는 금붕어나 화분까지도 똑같아. 누군가와 관계를 형성할 때 사랑을 바탕으로 솔직하게 소통하면 더 풍부하고 의미 있게 다가갈 수 있단다.

사랑을 기반으로 한 감정 표현은 너의 마음을 따뜻하게 만들어주기도 하면서, 상대방도 너를 사랑하고 신뢰하게 될 거야. 항상 사랑하고 또 사랑 받으면서, 그 사랑을 통해 감정을 표현하는 데에 진정한 의미를 찾으면 네 주변은 사랑하는 사람들로 가득하게 될 거야.

제 7장

인생관

1) 어떤 어른으로 살아갈까?

네가 어떤 어른으로 살고 싶은지 한 번 생각해 보면 좋을 것 같아.

주변에서 칭찬받고, 네가 하는 일에 만족하며, 봉사를 통해 가치 있는 경험을 쌓고, 가정에서는 좋은 아빠와 남편이 되고, 직장에서는 인정받는 사람, 그런 어른이 된다면 얼마나 좋을까?

그런 멋진 어른이 되려면 내적으로도 정신적으로도 항상 발전하고 노력하는 사람이 되어야 해. 마치 아름다운 조각상을 만드는 것처럼 깎고 다듬는 노력을 계속 해야 할 거야.

그냥 시간이 지나 육체적으로 성장해서 어른이 될 수도 있겠지만, 정신적인 성숙함이 없으면 진정한 어른으로 보기 어려워. 그래서 너도 어린 시절부터 항상 인격과 품위를 갖춘 어른으로 성장하고 발전하는 삶을 추구하며, 내적인 아름다움을 갖춘 어른이 되도록 노력해봐.

2) 내 인생의 중요한 가치 만들기

인생은 정말로 짧은 것 같아. 아빠도 앞만 보고 인생을 달려왔는데, 문득 나는 무슨 가치를 가지고 인생을 살고 있지? 라는 질문을 스스로 하게 되었어.

어떤 사람들은 돈을 중요시하여 돈을 벌기 위해 노력하고, 어떤 사람들은 건강을 중요한 가치로 여기며 노력하기도 하지. 각자가 추구하는 가치가 다르지만 아빠는 네가 보람 있는 가치를 추구하며 살아가면 좋겠어. 크고 거창한 일이 아니어도 괜찮아. 네가 집에서 좋은 아빠가 되거나, 좋은 남편이 되거나, 따뜻한 이웃이 되거나, 좋은 동료가 되어서 주변이 행복해질 수 있다면 그것도 중요한 가치라고 생각해.

나쁜 일은 피하고, 옳은 일을 추구하고 정의로운 사람이 되어서 이 사회에 유익한 일을 찾는 것도 의미 있는 일이 될 거야.

물질과 정신을 조화롭게 추구하고 의미 있는 가치를 만들며 살아가도록 노력해봐. 그러면 너의 인생이 더욱 풍요로워질 거야.

3) 준비된 사람만이 기회가 온다

누구나 성공한 인생을 살고 싶어할 거야. 어떤 이는 복권을 사서 벼락 부자를 꿈꾸기도 하고 어떤 이들은 본인의 준비와 노력 없이 행운만을 바라는 사람도 있어. 그러나 성공의 기회는 준비된 사람에게 오는 거야.

자기 일에 최고의 전문가가 되고 늘 주변에 인정받고 좋은 인간 관계를 유지하다 보면 주변에서 좋은 기회를 추천해 주고 너는 그 기회를 잡을 수 있지. 그렇지 않고 실력도 없고 준비도 안된 상태에서 설령 기회가 온다 하더라도 기회를 잡을 수 없을 거야.

애플의 창업자 스티브 잡스, 세계적인 전기차 테슬라의 일론 머스크등 세계적인 기업가들도 많은 실패 속에 좌절하지 않고 노력을 해서 목표를 이뤘지.

이 세상에 일확천금을 갑자기 얻는 건 거의 불가능해. 네가 성실을 바탕으로 지속적으로 노력 할 때 네가 하는 그 분야에서 성공의 기회가 주워 질 거야. 그러니 산의 정상을 한발 한발 올라가듯 인내를 가지고 노력하기 바래.

4) 인생은 고속 도로와 같아

아빠가 미국에 처음 왔을 때 공항에서 마중 나온 친척 어른께서 하신 말이 기억에 남아. 인생은 고속도로와 같다고 하시면서 그 이유는 한번 길을 잘 못 들면 돌아오는 길이 멀다는 거야. 그래서 들어갈 길과 나갈 길을 정확하게 파악하고 실수가 없도록 해야 한다고 하셨지.

생각해 보면 잘못된 일이나 행동을 순간 잘못된 판단으로 하면 그 결과는 큰 실패로 찾아오고 그 일을 회복하기에 오랜 시간이 걸린다고 아빠는 이해했어.

간혹 우리 인생에서 중요한 일들을 쉽게 생각하거나 준비하지 않아서 사업에 실패하거나 원하는 목표를 달성하지 못할 때가 있어. 그때에는 큰 고통이 따라오고 결혼했다면 가족까지 힘든 순간을 맞게 돼. 그래서 모든 일에 실수가 없도록 신중해야 해.

너도 한번 깊이 생각해 보고 인생에서 중요한 순간이 올 때 바른 판단을 할 수 있기를 바래.

5) 낭비하는 인생

아빠가 감명 깊게 본 영화 중에 하나가 빠삐용이란 영화인데 거기에 명 대사가 나오지. 죄수가 꿈에서 재판관에게 자기가 무슨 죄가 있냐고 묻는데 재판장이 당신은 인생을 낭비한 죄가 있다고 말하는 장면이야.

우리는 모두 간난아이부터 죽을 때까지 24시간을 똑같이 부여 받고 살고 있어. 그런데 누군가는 그 시간을 알차게 써서 성공을 맛보고 누군가는 그 시간을 낭비해서 인생의 실패를 겪기도 해.

인생의 낭비는 그 순간은 달콤한 것 같지만 시간이 흐르면 그 차이는 엄청나게 날 거야. 혼자만의 문제가 아닌 너와 네 가족 모두에게 고통을 주기로 하지.

그래서 인생에 주어진 시간을 알차게 살지 않는 건 세상의 기준에서 죄라고 불리진 않더라도 실패한 인생이라는 슬픈 결과를 갖게 될 거야.

그러니 어릴 때부터 인생에 주어진 시간을 알차게 써서 후회 없는 인생을 만들도록 노력해 보렴.

제 8장

생활 태도

1) 약속은 꼭 지키는 것

아빠가 인생에서 가장 중요하게 생각하는 것 중 하나는 "약속은 꼭 지켜야 한다"는 거란다. 이 말을 자주 들었을 거야. 약속을 지키지 않으면 아무리 화려한 말을 하고 겉이 멋있어도, 상대방은 너를 믿지 않을 거야. 특히 어른이 되어 사회 생활을 할 때 약속은 더욱 지켜야 해. 시간 약속이든, 금전적인 약속이든 어떤 약속이든 네가 한 말은 반드시 지켜야 사람들이 너를 믿게 될 거야. 그래서 약속을 할 때는 항상 신중해야 하는 거야.

물론 때로는 못 지킬 수 있는 일이 생길 수 있어. 그럴 때는 충분히 그 전에 상황을 알리고 양해를 구해야 해. 그렇지 않으면 신뢰를 잃을 수 있어. 한 번 잃어버린 신뢰는 되찾기 어려워. 그러니까 작은 약속이라도 꼭 지키도록 노력해봐. 또한 네 자신과의 약속도 꼭 지키는 사람이 되면 너는 더 훌륭한 사람으로 성장할 수 있을 거야.

2) 깔끔

깔끔한 삶은 정말 중요한 가치야. 정신적으로, 외모적으로, 일상에서도 깔끔함을 유지하는 게 정말 중요한데 깔끔한 사람은 자기 자신을 잘 관리하고 모든 일을 꼼꼼하게 처리할 거란 믿음을 줘서 주변 사람들에게 높은 신뢰를 얻게 되지.

깔끔한 사람이 되려면 먼저 자기 자신을 소중히 여기고, 정리된 생활 습관을 만들어야 해. 집이든 자동차든 사무실이든 네가 있는 공간을 깨끗하게 유지하고 상대의 편의까지도 꼼꼼하게 챙기면 너를 깔끔한 사람으로 인식하게 될 거야.

비싼 옷을 입고 명품 가방을 사서 너를 돋보이라는 건 아니야. 평범한 옷이라도 깨끗하고 단정하게 입는다면 너를 깔끔하고 멋진 사람으로 보게 될 거야.

깔끔한 삶은 내면에서도 조화롭고 평화로운 삶을 살 수 있는 기반이 돼. 이런 가치를 중요시하고 성장하면, 네 인생은 더 풍요로워질 거고, 주변 사람들에게도 긍정적인 영향을 줄 거라 믿어.

3) 건강 생활

건강은 삶에서 정말로 중요해. 특히 식사는 건강을 유지하는 데 큰 역할을 하는데, 바쁜 일상에서 쉽게 빠져들기 쉬운 인스턴트 음식이나 자극적인 음식을 피하고 건강한 식사를 하도록 노력해 봐. 야채와 건강식품을 더 많이 섭취하고, 성인이 되면 술, 담배, 혹은 나쁜 음식을 피하는 습관을 들이면 좋을 거야.

운동도 건강한 삶을 유지하는 데에 큰 도움이 되는데 건강한 몸뿐만 아니라 건강한 정신도 얻을 수 있어.

더불어 건강한 취미 생활도 중요해. 테니스, 탁구, 골프, 사이클 등 다양한 운동을 취미로 즐겨봐. 이렇게 하면 미래의 네가 더욱 건강하고 행복한 삶을 살 수 있을 거야.

젊어서는 잘 모를 수 있어. 그러나 나이가 들수록 점점 건강 관리를 한 사람과 안 한 사람의 차이는 크게 날 거야. 나이가 들어 많은 병과 함께 산다면 비극적이며 주변 가족에게도 힘 든 일이 될 거야. 그러니 늘 건강한 몸과 마음을 만들도록 노력해 봐.

언제나 널 응원하고 사랑한다는 걸 잊지 말아. 계속해서 건강을 유지하며 멋진 삶을 살아가길 바라.

4) 매력적인 사람이 되어라

진짜 매력 있는 사람은 어떤 사람일까? 연예인처럼 멋있게 생겨도 매력 있을 수 있겠지만, 말투, 행동, 너그러움, 그리고 배려심이 풍부한 사람이 진정한 매력을 가진 사람이라고 생각해.

위트와 유머로 주변 사람들을 즐겁게 만들며, 열정적으로 일하는 모습과 어려운 상황에서 다른 사람을 불쌍히 여기는 모습은 진정한 매력적인 특징이야.

비싼 차를 몰며 뽐내는 사람과 고아원이나 봉사 단체에서 땀 흘려 봉사하는 사람이 있다면 어떤 사람이 더 매력적인 사람일까?

아마 모두 봉사하는 사람을 매력적인 사람이라고 할거야.

또 네가 만나는 사람들도 그런 매력을 가진 사람이면 좋겠어. 서로 다른 매력을 공유하면서 긍정적인 에너지를 주고 받으면 좋을 거야.

봄날 햇살처럼 따듯한 태도로 대할 때, 네 주변은 밝아지고 네 매력이 더욱 돋보일 거야. 계속해서 긍정적인 에너지를 퍼뜨려 나가길 바라.

5) 계획이 있는 삶

항상 계획을 세우고 생활하는 것이 정말 중요해. 여행이나 공부, 심지어 직업을 선택할 때에도 어디로 향할지, 어떻게 공부할지 세세하게 계획을 짜보도록 해. 계획을 세울 때에는 너무 복잡하게 생각하기보다는 간단하게 시작해서 연습하는 게 좋아. 그러면 허튼 시간을 낭비하지 않고 좋은 결과를 만들 수 있어.

공부, 여행, 가족 행사, 아니면 어떤 프로젝트든 마찬가지야. 여행을 예로 들자. 계획 없이 어디론가 떠나면 난관에 봉착할 수 있어. 그래서 미리 정보를 찾고 어디에서 재미있게 놀 수 있는지 알아두고 계획을 세우면, 여행 중에 실수를 최소화하고 더 즐거운 시간을 보낼 수 있을 거야. 어떤 상황이든 계획을 세우고 그 것을 실천하면 실수가 줄어들고 좋은 결과가 찾아 올 거야.

제 9장

금전 관리

1) 없으면 없는 대로 있으면 있는 대로

너도 언젠가 대학을 졸업하고 직장을 갖게 되어 월급을 타게 될 거야.

그런데 생활하다 보면 살다 보면 돈이 생기기도 하고 없을 때도 있어.

하지만 돈이 부족하다고 해서 카드를 자주 사용하거나 빚을 지는 것은 피하는 것이 좋아.

사업을 하거나 집안에 큰 일이 생기는 특별한 경우를 제외하고 가능하면 내 수입 범위 안에서 살아가도록 노력해 봐. 카드로 먼저 지출하고 나중에 갚는 것은 생활을 점차 어렵게 만들 수 있어.

돈이 없으면 그에 맞게 살고, 돈이 생기면 그에 맞게 생활하는 것이 현명한 선택이야. 주변에서 카드를 만들라거나 대출을 받으라거나 하는 빚의 유혹이 있을 텐데 그것도 너의 상황에 맞춰 최소한으로 사용하도록 해봐.

예산을 넘는 소비는 큰 위험이 있어. 빚이 점점 쌓여 나중에는 감당하기 어려워질 거야. 원하는 것을 얻고 싶다면 스스로 노동을 통해 수입을 만들어 얻을 수 있도록 노력해봐. 돈을 벌고 사용하는 과정에서 자립, 안정, 그리고 보람도 찾을 수 있을 거야. 항상 규모 있는 생활로 더 나은 미래를 향해 나아가길 기대할게.

2) 1센트도 정확하게

경제적인 사고 방식은 정말 중요해. 돈을 빌렸다면 1 센트라도 정확하게 갚는 습관을 기르는 것이 좋아.

물건을 사거나 경제 생활을 할 때에도 정확하게 하고, 카드를 썼다면 용도와 사용 내역을 정확하게 파악하는 것이 중요해. 돈을 무분별하게 사용하는 것은 피해야 할 습관 중 하나야.

돈의 규모에 상관없이 사용하는 모든 돈에 대해 정확한 계획과 파악이 필요해. 직장 생활을 시작하면 수입과 지출을 정확하게 기록하고, 예산을 지켜가며 생활하는 습관을 갖도록 해봐.

금전적인 정확성은 습관처럼 가지고 있어야 하며, 어떤 상황에서도 1 센트라도 정확하게 처리할 수 있도록 노력하는 것이 좋겠어.

네 금전적인 상황을 항상 정확히 파악하고 효율적으로 관리하면 안정적인 삶을 누릴 수 있을 거야. 이러한 습관은 네 미래에 큰 도움이 될 거야.

3) 아낄 때와 쓸 때

경제 생활을 하면 아낄 때와 쓸 때를 잘 구별하는 것이 중요해. 돈을 쓸 때는 꼭 필요한 구매인지를 파악하고 얼마를 어디에 사용하는지 꼼꼼하게 알아야 해.

나한테 필요 없는 물건을 불필요하게 사는 건 아닌지, 충동적인 소비인지도 판단하는 게 중요해. 돈을 쓸 때는 그에 따른 충분한 가치가 있는 일인지 판단하고, 그렇다는 확신이 들 때는 너의 경제 상황에 맞춰 쓰도록 해봐.

아빠가 대학교에 다닐 때 신용 카드란 걸 처음 만들었는데 물건을 사거나 놀러 갈 때 카드로 미리 쓰니까 마치 공짜 돈을 쓰는 것 같았어. 그렇게 카드를 쓰다 보니 나중에는 갚아야 할 돈이 많아져 크게 고생한 적이 있었지. 그때 큰 교훈을 얻었어.

돈을 쓸 때 자신만을 위해 쓰는 것도 좋지만, 사회에 도움이 되거나 어려운 이들을 위해 쓰는 일도 돈을 의미 있게 쓰는 일 중 하나야. 돈을 효율적으로 사용하면서 불필요한 소비를 자제하는 현명한 금전 관리 방법을 배운다면 풍요로운 삶의 기반을 마련할 수 있을 거야.

4) 남의 돈도 내 돈처럼

돈에 대한 이야기를 좀 더 나눠볼게. 어쩔 수 없는 상황에서 돈을 빌려야 할 때는, 빌려준 사람에게 빨리 갚도록 노력해야 해. 특히 남의 돈도 내 돈처럼 소중히 여기고, 감사 표현도 잊지 않는 게 중요해.

살다 보면 어떤 상황에서 도움을 청하고 돈을 빌릴 수 있지만, 빌린 후 다급한 일이 해결 되었다고 그 돈을 빨리 갚도록 노력하지 않는 것은 나쁜 행동 중 하나야.

사람의 심리가 급할 때 여기저기 필요한 곳에서 돈을 빌리다가 문제가 해결되면 그 돈을 갚는데 느긋해지는 경향이 있거든.

그러니 남의 돈이나 물건, 또는 남의 시간도 정말 소중히 여기고, 갚아야 하는 돈은 빨리 갚아주는 습관을 가지는 게 중요하다는 걸 명심해. 상대방이 너에게 도움을 준 것에 대한 감사의 마음을 결코 잊지 말고, 그렇게 표현하는 것이 인간관계에서 중요한 가치 중 하나야.

상대방이 너에게 도움을 준 것에 대한 감사의 마음을 결코 잊지 말고, 네가 도움을 준 사람에게 언젠가 도움이 되도록 노력하는 것이 인간관계에서 중요한 가치 중 하나야.

5) 경제 관념

아빠가 어릴 때 부모님께서 누나와 함께 월요일마다 용돈을 주셨는데 아빠는 이틀 동안 다 쓰고 수요일부터는 과자 한 봉지도 사먹지 못했어. 그런데 누나는 금요일까지 용돈을 다 쓰지 않고 심지어 모아서 나중에 사고 싶은 학용품을 사는 걸 아빠는 기억해. 누나는 자신에게 주어진 용돈을 계획적으로 나누어 일주일을 쓰고 더 필요한 걸 사기 위해 저축도 한 거였지.

이걸 경제 관념이라고 해. 내게 얼마만큼의 수익이 있고 그걸 어디에 어떻게 써야 할지 개념을 가지고 금전 생활을 해야 규모 있고 알찬 경제 생활을 할 수 있을 거야. 이 개념이 없으면 많은 수입이 있어도 그 수입을 유지 할 수 없을 거야.

회사에 들어가 월급을 받거나 사업을 해서 수익이 생기면 그 수익을 저축 투자 지출로 나누고 미래를 위해 계획을 세우도록 해봐. 그러면 너의 재산도 늘어나고 알찬 경제생활을 할 수 있을 거야.

바로 앞에 사고 싶은 충동 구매로 정작 필요한 일에 돈을 못 쓰는 일이 없도록 항상 경제적 개념을 가지고 생활하길 바래.

제 10장

대화법

1) 들어주기

인생에서 대화는 가장 중요한 소통 방법이야. 다양한 사람들과 대화를 나누는 일이 많을 거야. 그런데 대화할 때 말이 많은 사람보다는 듣는 사람을 사람들은 더 좋아하는 경향이 있어.

상대방의 이야기를 경청하고 이해한 후 너의 의견과 생각을 말한다면 서로 소통이 충분히 이루어질 거야. 혼자 자기 이야기만 하고 상대방의 말을 경청하지 않으면 상대는 무례하게 느끼거나 대화하기를 거부하겠지.

예를 들어 네가 대학교에 가서 소개팅에 처음 나갔는데 그 친구의 말을 듣기 보단 네 위주로만 이야기를 한다면 그 여자분은 너를 좋아하지 않을 거야.

그래서 너도 여러 사람들과 대화할 때는 말을 적게 하고, 상대방의 이야기를 주의 깊게 들어주는 것이 좋아.

내 생각을 표현할 때에는 상대방이 피로감을 느끼지 않도록 위트와 함께 요점을 정리해서 말하도록 하렴. 대화는 상호적인 과정이기 때문에, 서로가 존중하고 이해하며 소통하는 것이 중요해. 네가 경청을 잘하는 사람으로서 평가 받는다면 더 풍요로운 대화와 좋은 인간관계를 쌓을 수 있을 거야.

2) 요점만 간단히

대화는 상대방과 소통하는 소중한 기술 중 하나야. 때로는 주제에서 벗어나 여러 가지 예시를 잡아 설명하는 사람들이 있는데 이런 경우, 상대방은 무슨 얘기를 하는지 알기 어려울 때가 있어.

그래서 대화할 때, 특히 정보를 전달하거나 네 생각을 표현하고 싶을 때는 먼저 핵심을 간략하게 전달한 후 그 이유와 근거를 설명하는 것이 좋아.

상대방에게 명확하게 메시지를 전달하려면 처음부터 다양한 얘기를 너무 복잡하게 풀어가지 말고, 담백하고 간결하게 요점을 전달하는 습관을 가지는 것이 중요해. 장황한 설명은 상대방을 지루해하게 만들 수 있고, 대화의 목적이 흐려지기도 해.

그러니까 네가 전하고자 하는 내용을 요약해서 명확하게 표현하는 연습을 해봐. 간결하게 말하면서도 상세한 내용을 이해시키는 능력이 있다면, 대화에서 더욱 효과적으로 의사 소통을 할 수 있을 거야.

3) 위트 있게

대화를 할 때에는 컴퓨터나 기계처럼 단조로운 톤으로 이야기하기보다, 약간의 유머와 위트를 섞어서 이야기하는 게 효과적일 때가 많아.

이렇게 하면 듣는 사람이 더 즐겁게 이해하고, 마음을 열고 들어줄 거야. 위트 있는 대화 스타일은 상당한 대화의 능력이야.

특히 어려운 얘기, 부탁이 필요한 상황이거나 심각한 주제일 때, 먼저 유머를 활용해 상대방의 미소를 짓게 하고, 그 다음에 본론으로 들어간다면 상대방을 더 쉽게 설득할 수 있고, 마음을 열고 대화를 이어갈 수 있을 거야.

그러니 너도 대화할 때는 가볍게, 재치 있게 이야기를 풀어가 보는 연습을 해봐. 물론 억지로 웃음을 만들어내려고 하지 말고, 한두 마디로 자연스럽게 상황에 따라 위트를 더해나가면 돼.

이렇게 하면 대화 분위기를 상당히 좋게 만들 수 있고 네가 원하는 방향으로 대화의 결과를 만들 수 있을 거야.

4) 좋은 단어 사용하기

친한 사람과 대화를 할 때 비속어를 사용하는 경우가 있어. 특히 친구들끼리 그런 말을 자주 사용하게 되는데, 가능하다면 좋은 단어를 사용하도록 습관을 들여봐.

비속어를 쓰면 어떤 상황에서는 웃음을 증폭시키기도 하겠지만, 너의 언어 습관으로 자리잡는다면 사회 생활과 이미지에 좋지 않은 영향을 줄 거야.

나이가 들면서, 더 나아가 어떤 직장이나 공적인 자리에서 언어의 선택이 중요해지는데, 평소 어떤 단어를 사용하느냐에 따라 네 품위와 신뢰도에 큰 영향을 미치게 돼. 좋은 단어를 선택하고 적절하게 사용하면 어디서나 교양 있는 이미지를 유지할 수 있을 거야. 가벼운 대화에서도 네 언어 선택이 주변 사람들에게 어떤 인상을 심어줄지 고려하고 자연스럽고 예의 바른 대화를 만들 수 있도록 노력해 봐.

5) 잘난 척은 금물

대화할 때에는 결코 잘난 척하지 말아야 해. 자랑하거나 내 성취를 과시하는 것은 상대방에게 좋지 않은 인상을 남길 수 있어. 내가 가진 것, 배운 것, 나온 학교와 같은 것들을 들먹이는 것보다는, 오히려 상대방의 이야기를 듣고 높여주고 칭찬하고 공감하는 모습이 너를 더 빛나게 할 거야.

말할 때 과장하지 말고 겸손하게 말하며 나의 얘기를 하기보다는 주변의 이야기에 귀 기울이고, 상대방을 이해하며 대화하는 게 중요해. 만약 너의 얘기를 하게 된다면 솔직하게, 거짓 없이 있는 그대로 이야기해야 돼.. 자신을 부풀리거나 거짓말을 하면 결국 실망과 오해를 초래하게 돼.

가끔 뉴스를 보면 자신의 실력보다 더 잘 보이기 위해서 이력서에 있지 않은 사실을 거짓으로 부풀려 썼다가 문제가 생기기도하고 직장 취업을 위해 없는 경험도 있다고 말하는 사람들도 있는데 이것은 잘못된 일이야. 언젠가 진실은 다 드러나게 되어 있거든.

늘 솔직한 자세로 대화하고 서로에게 더 가까워지는 경험을 쌓아보렴.

6) 말싸움은 백해무익

대화 중 말싸움을 피하는 것은 매우 중요해. 말싸움은 단순히 의견 충돌을 넘어 상처와 오해만 남을 수 있기 때문이야. 말싸움, 즉 논쟁이 생길 때 그 자리를 떠나 감정을 다스리고 문서로 의견을 표현하는 것이 현명한 선택이야. 만약 건설적인 토론이라면 문제 없지만 의미 없는 논쟁에 자기 주장을 펼쳐 이기려고 하는 건 결코 유익하지 않아.

가족이나 친구들과 논쟁은 특히 피하는 것이 중요해. 자칫 감정적인 말로 평생 상처를 남길 수 있기 때문이야. 작은 이해관계의 충돌은 피하고 논쟁이 아닌 논의를 통해 소통하도록 노력해야 해. 항상 상대방의 감정을 존중하고 서로에게 이해를 구하는 태도를 갖는 것이 좋아.

특히 대화 중 언쟁이 시작될 것 같을 땐 빨리 화제를 바꾸는 게 좋아. 어떤 논쟁이 시작되었을 때 감정이 격해지고 논쟁의 내용은 없고 말싸움으로만 번지면 끝나고 나서 남는 건 서로가 준 상처 밖엔 없어. 아무 의미가 없는 에너지 낭비일 뿐이야.

네가 원하지 않는 말싸움으로 인해 깊은 상처를 받지 않도록 주의하고, 적절한 상황에서는 대화를 통해 서로의 의견을 이해하는 연습을 해 보렴.

제 11장

마지막 당부

1) 인생은 짧다.

인생은 정말 짧은 것 같아. 아빠도 어른이 되어 살아보니 하루하루 살아가는 게 얼마나 중요한지 알게 되었어. 너도 너 자신을 위해 시간을 내고, 가족과 보내는 소중한 순간들, 좋은 사람들과 함께하는 에너지 넘치는 순간들, 이런 모든 것들을 균형 있게 조절하며 인생을 채워가길 바래.

가치 있는 경험을 쌓고, 후회할 일에 집착하지 말고, 인생이 짧다는 사실을 기억하며 먼 미래의 계획보다도 지금, 오늘의 순간에 집중해봐.

네가 계획한 대로 되지 않더라도 긍정적인 마음으로 그 상황을 받아들이고, 특히 성공했을 때는 자만하거나 거만해지지 말고 항상 겸손하게 유지하는 게 중요해.

하루하루 행복을 찾아가는 노력과 태도가 인생을 더 풍요롭게 만들어 줄 거야. 나에게 주어진 오늘을 행복한 하루로 보내도록 노력해 보렴.

2) 너를 믿는다.

아들, 너는 이미 아빠보다 더 훌륭한 모습을 보여주고 있어. 미래에는 더 놀라운 성과를 이루리라 믿어. 어디서나 사랑 받는 사람이며 훌륭한 아빠로서 행복한 가정을 이끄는 너를 상상해봐. 아빠는 너를 만난 것이 하늘의 큰 축복이라 생각하고 있어.

이 책을 쓴 이유는, 아빠가 먼 훗날 이 세상에 없어도 네가 이 책을 통해 아빠를 기억하고 인생에 도움이 되는 지침이 되기를 바라는 마음에서야. 항상 널 응원하고, 더 멋진 우리 아들이 되기를 기대해. 사랑해.

에필로그

이 책을 마무리하면서 나는 작은 고민에 빠졌다. 과연 내가 이 책을 쓸 자격이 될까? 그러나 곧 이 책을 쓴 건 잘한 일이라는 생각이 들었다. 아이들에게 남길 위대한 유산이 되기를 간절히 바라기 때문이다. 아이들이 자라면서 내가 겪은 사회 생활의 다양한 경험이, 이 책을 통해 조금이라도 좋은 결단과 방향을 제시할 수 있다면, 이 책의 가치는 충분하리라고 믿는다. 많은 부모님들도 같은 마음이리라 생각한다. 이 책이 우리아이들의 인생에 작은 길라잡이가 되길 진심으로 희망한다.